★本作品純屬虛構，與實際的人物、團體、事件等均無關係。

NARUTO
火影忍者

卷之十七

鼬的能力！

岸本斉史

主要登場人物
宇智波佐助
漩渦鳴人
春野櫻
宇智波鼬
甘柿鬼鮫
大蛇丸

瘋狂阿凱

旗木卡卡西

自來也

綱手

前情提要

原本是木葉忍者村忍者學校中的問題學生鳴人，終於與佐助、小櫻一起成為忍者了。

卡卡西推薦鳴人等人前去參加中忍選拔考試。鳴人一行人，在第二場考試的考場「死亡森林」裡遭到了神祕忍者大蛇丸的襲擊！大蛇丸在佐助身上留下咒印之後就消失了⋯

鳴人與佐助通過“第三場考試”的預選，進入了正式選拔。就在佐助VS我愛羅的比賽正在進行時，假扮成風影的大蛇丸抓住火影並且展開結界。由大蛇丸等人所進行的“毀滅木葉行動”終於開始了！另一方面，鳴人打敗了變成狸貓的我愛羅。同時火影則在與大蛇丸的戰鬥中死亡，但也讓“毀滅木葉行動”以失敗收場。村子的安全被保住了⋯⋯但是卻有兩個詭異的影子，追蹤著前去尋找第五代火影候選人·綱手的自來也與鳴人⋯⋯

NARUTO

—火影忍者—

卷之十七

鼬的能力！

目　次

145：絕望的記憶
是佐助嗎？
！
不……
他是誰？
他的眼睛和佐助的
寫輪眼一樣……

沒想到……九尾妖狐居然會在這小鬼的體內……
ザッ
145：絕望的記憶
!!

他們到底是誰啊？怎麼會知道九尾妖狐的事呢……？
鳴人，請你和我們一起走。
！
可惡……
這兩個人確實是留著金髮的笨蛋和留著白髮的高大大叔……
但根本就不是！
ダッ

……他就在這附近……
哥哥…

今天陪我作手裡劍術的修行吧……
……
我很忙……你請父親教你就行了。
和父親比起來…你的手裡劍術比較厲害…
連我這小孩子都看得出來。
……
哥哥，你怎麼老是把我當成麻煩人物呢？
招手
招手
……
タッタッ
ズッ

佐助，原諒我吧…
下次再教你……
咚！
好痛！

……
!
我今天……
沒空陪你。
起身
你每次都說
"佐助，原諒我"
，然後就戳我的
額頭……
而且說什麼
"今天"…
你根本就不願意
陪我。

ザラッ
爸爸，為什麼哥哥都不想理我呢？
我是他弟弟耶…
カチャ
カチャ
……
他有點變了……
他不喜歡和別人打成一片……
為什麼？

不知道……
連我這個當父親的……也看不透他……
佐助！這是你的便當。
如果你要練習手裡劍，等你回來之後，我再陪你練吧。
抓！
那不是練習，是修行啦！
我要走囉！
哥哥七歲就以第一名的身分從忍者學校畢業，八歲就會使用寫輪眼……
十歲就升格成為中忍……
我現在的年紀和哥哥畢業時的年紀一樣，但我卻……

不過……我和哥哥一樣，都有著宇智波一族的血統，
我不會輸給他的！
ﾀｯﾀｯ
留下來練習射手裡劍，結果練得太晚了……
！

……
那是什麼？
剛剛…好像有人在那裡……
!!

這是……怎麼……一回事啊？
到底發生……什麼事了？
爸爸！媽媽！
佐助……不要過來！
!!
呼
呼

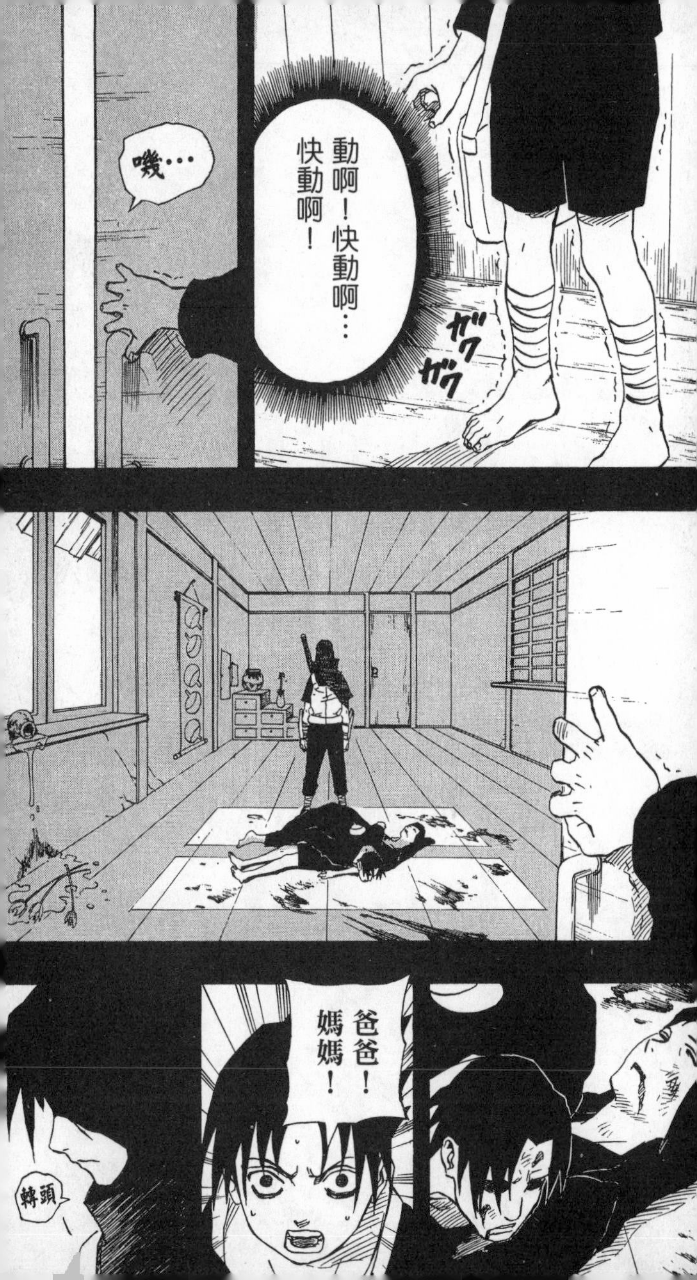
動啊！快動啊……快動啊！
ガク
ガク
嘰…
爸爸！媽媽！
轉頭

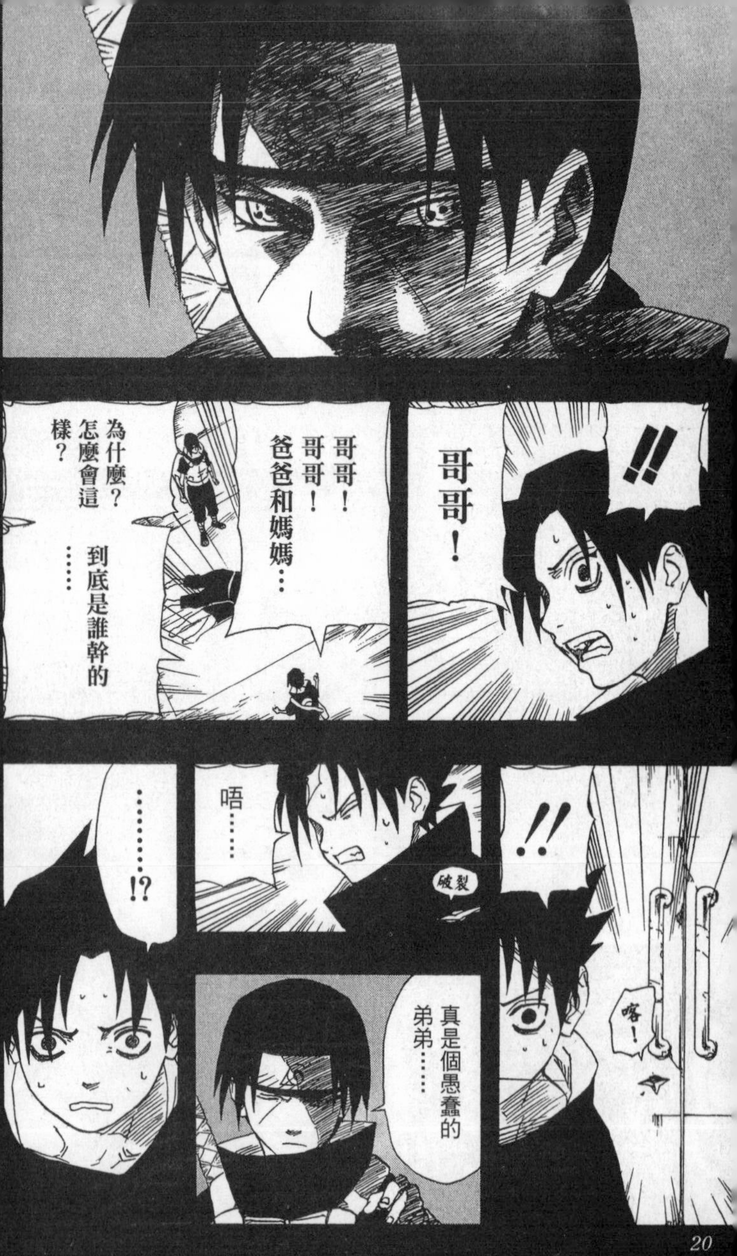
!!
哥哥！
哥哥！
哥哥！
爸爸和媽媽……
為什麼？
怎麼會這樣？
……到底是誰幹的
!!
喀！
破裂
唔……
……!?
真是個愚蠢的弟弟……

睜開
萬花筒寫輪眼！
哇啊啊啊啊！
哥哥！快住手！
不要讓我看到這種東西！
為什麼！為什麼你要這麼做……哇啊啊啊啊！
嗚啊啊啊啊啊啊！
哥哥！快住手！
爸爸和媽媽被……哇啊啊啊啊！

我們離開這間房間吧……
他…他們絕對不是省油的燈……
ザッ

……嗯……
鼬……
讓他到處亂跑會給我們帶來麻煩……
砍掉一隻腳可能會比較好……
喀嚓
!!
他……他說什麼？
……
那麼……
唰
唰
……！

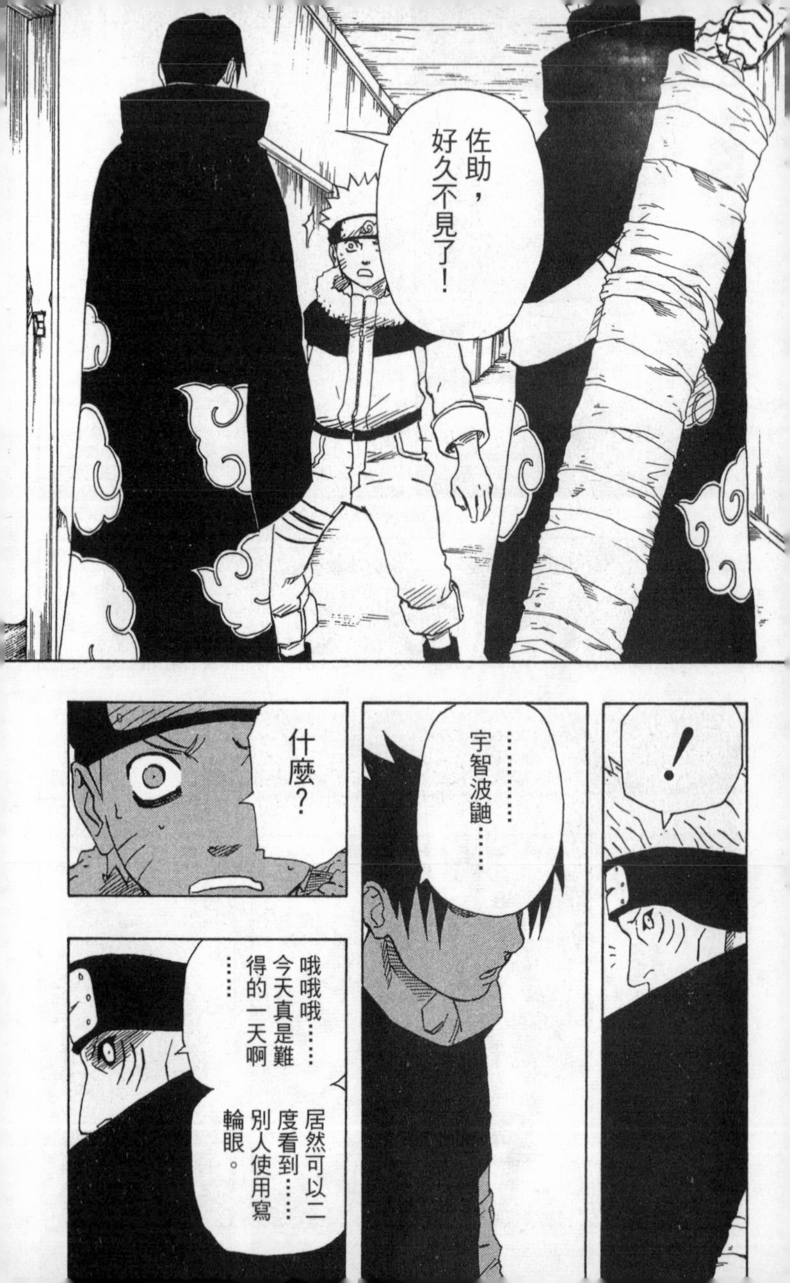
佐助，好久不見了！
！
……宇智波鼬……
什麼？
哦哦哦……今天真是難得的一天啊……
居然可以二度看到……別人使用寫輪眼。

我要……
殺了你！

CONGRATULATONS!!
祝. 3周年。
THE 3RD ANNIVERSARY OF THE SERIALIZATION!!
R '02

岸本老師幾乎每天都像是即將要參加考試的學生。請您用氣勢突破難關吧。

NOVEMBER. 8. 田坂亮

146：與憎恨同在…！

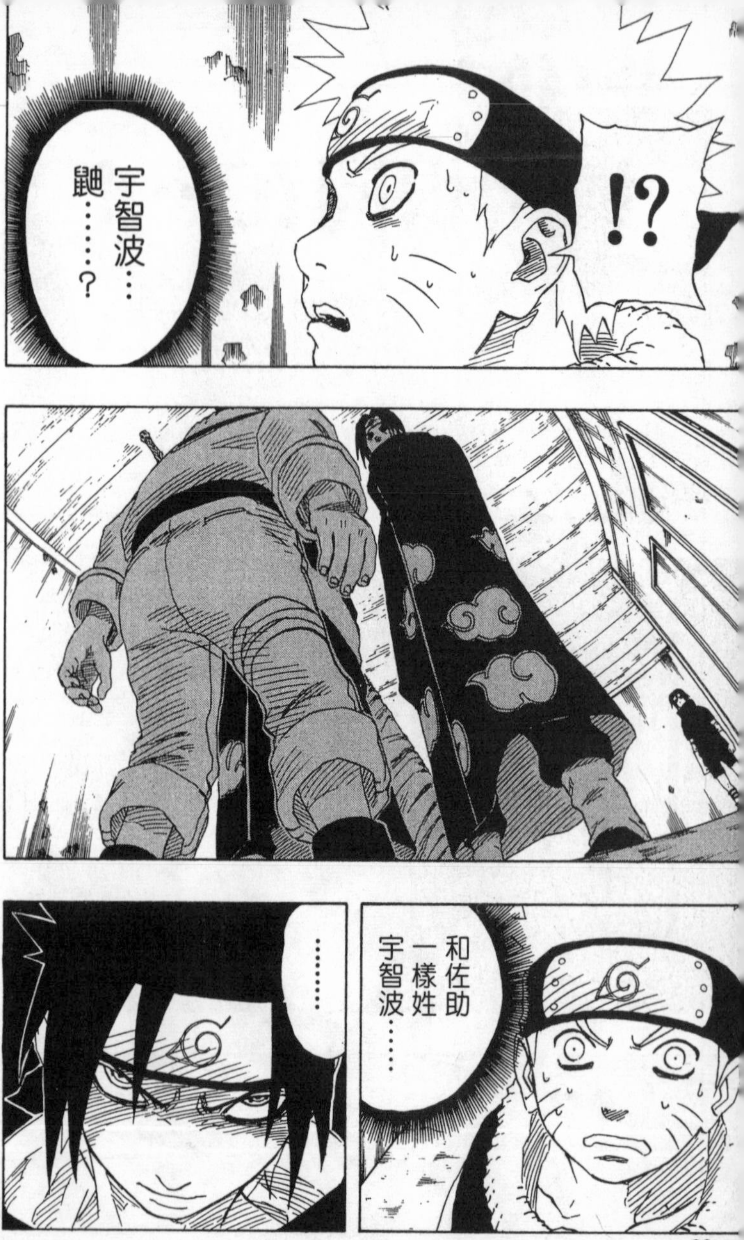
!?
宇智波……鼬……？
和佐助一樣姓宇智波……
……

他們到底是……
到底是誰啊？
是寫輪眼啊……
而且他還和你長得好像……
他到底是誰？
……
他是……我弟弟！
!!
我聽說宇智波一族的人都被殺光了……

而且還是被你……
我一定要殺了那個男人……
那個傢伙……我下定決心……殺死我哥之前……
怎麼可以就這樣……去死……
ギッ
這個人就是佐助所說……
想殺掉的男人……

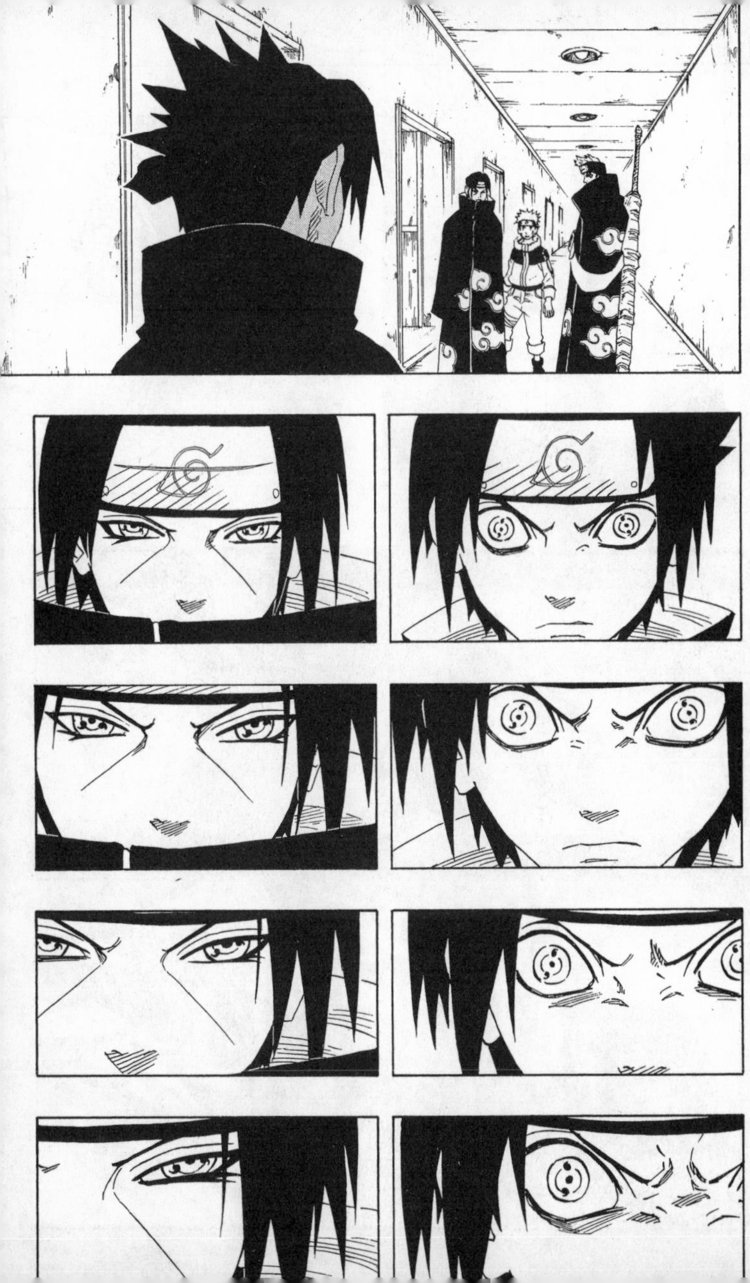

哇啊啊啊啊啊！
啊……啊啊
啊啊啊！

呼
呼
ドサッ

……哥哥……
為什麼……？
為了測驗我自己的器量。
……
測驗器量……？
只是這樣……
……
你只是為了做這件事…而殺了大家嗎……？
這就是最重要的。
……

……
什麼啊……
開什麼玩笑！

好可怕…
唰！
好可怕！
哇啊啊啊！不要殺我！
碰！
唰！
你根本就…沒有讓我殺掉的價值…
愚蠢的弟弟……

想殺我的話……
就痛恨我！
憎恨我吧！
你就醜陋地活下去吧……！
盡力地逃跑……盡力地苟且偷生吧！
我照著你所說的……一直痛恨著你，一直憎恨著你……
而我活著也都是……

為了要
殺掉你！
剝落
剝落
!!
……
千鳥？

喔喔喔喔喔喔喔！

バキィィ

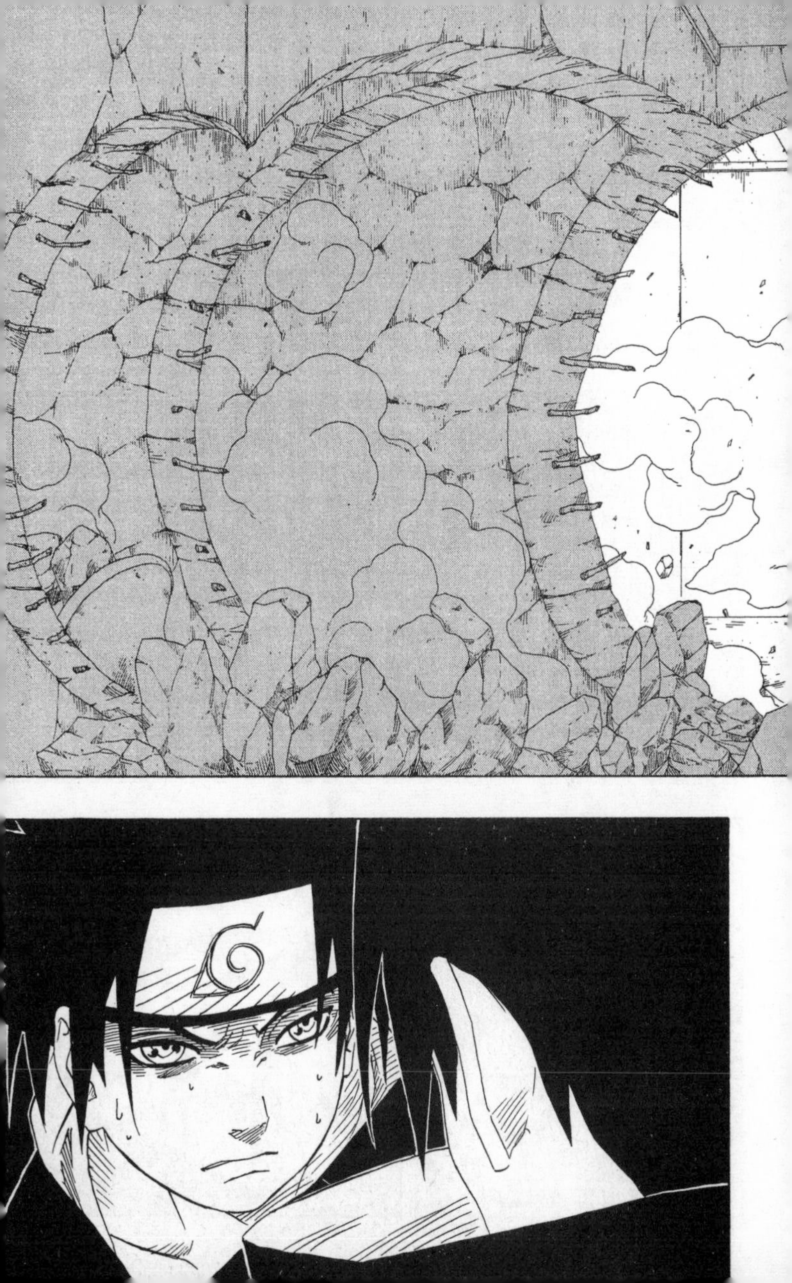

糟了！
喝啊啊啊啊啊！
我得趕快想辦法才行……！
！
原來如此……查克拉掩埋了整個空間……
這就是九尾妖狐的查克拉啊！
!!

可惡……!
別礙事……
哇啊啊啊啊啊啊!
佐助——!
可惡!
忍法·通靈之…
太慢啦!
咻!
!?
フッ

咦……？
感覺不到……查克拉了？
可惡！可惡！
怎麼會這樣——！
我的鮫肌……
咻咻咻
能夠削掉查克拉……並且將查克拉給吃掉！
！
讓你使出忍術的話就麻煩了……
與其砍掉腳，不如先砍斷你的手吧！
喀擦

グッ
!
!!
你們對我過去的一切也未免太不了解啦……
男子漢自來也…不會被女人誘惑，
反而是比較擅長用甜言蜜語迷倒她們喔！

池本幹雄

147：屬於我的戰鬥！

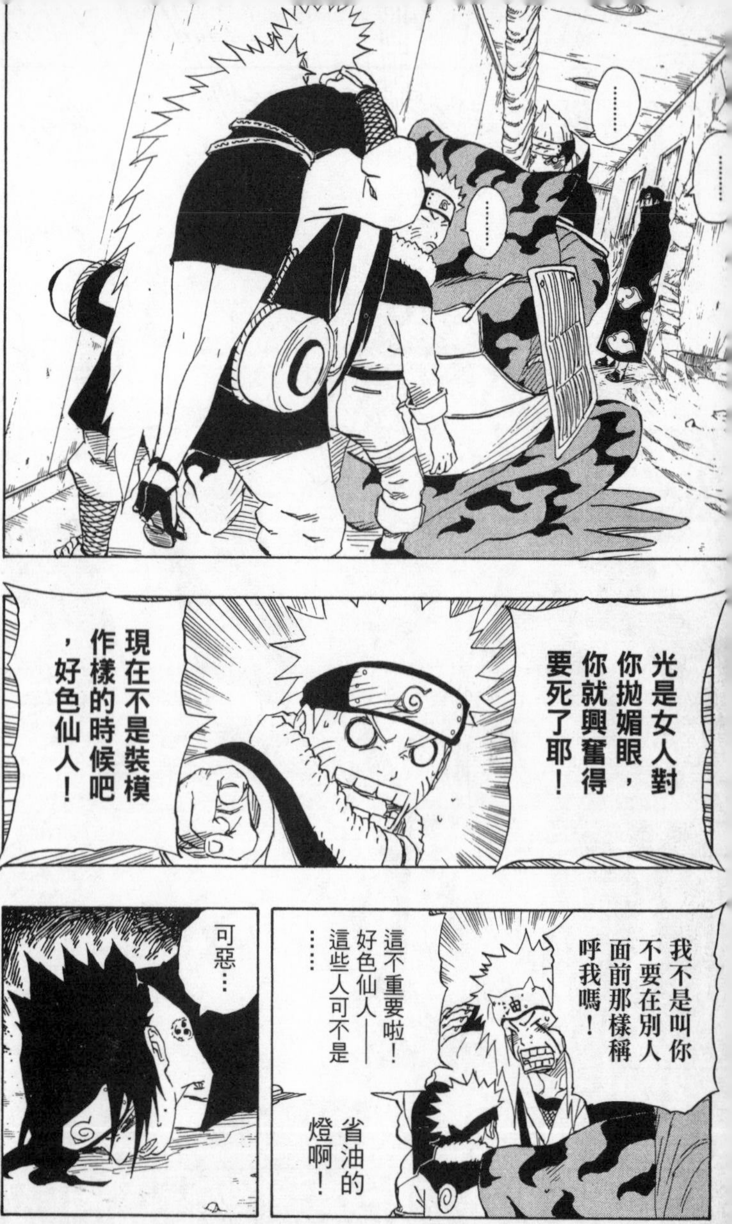
……
……
……
光是女人對你拋媚眼，你就興奮得要死了耶！
現在不是裝模作樣的時候吧，好色仙人！
我不是叫你不要在別人面前那樣稱呼我嗎！
這不重要啦！好色仙人——這些人可不是……
省油的燈啊！
可惡……

！
……
嘻嘻……
畢竟是被稱為傳說中三忍的自來也……
雖然知道你非常喜歡女人，但我們沒想到那麼容易就可以引開你。
你連好色仙人的真面目都知道啊？
這……這根本說不上什麼真面目……
看來你已經把我們對那女人所施的幻術給解開了。
……

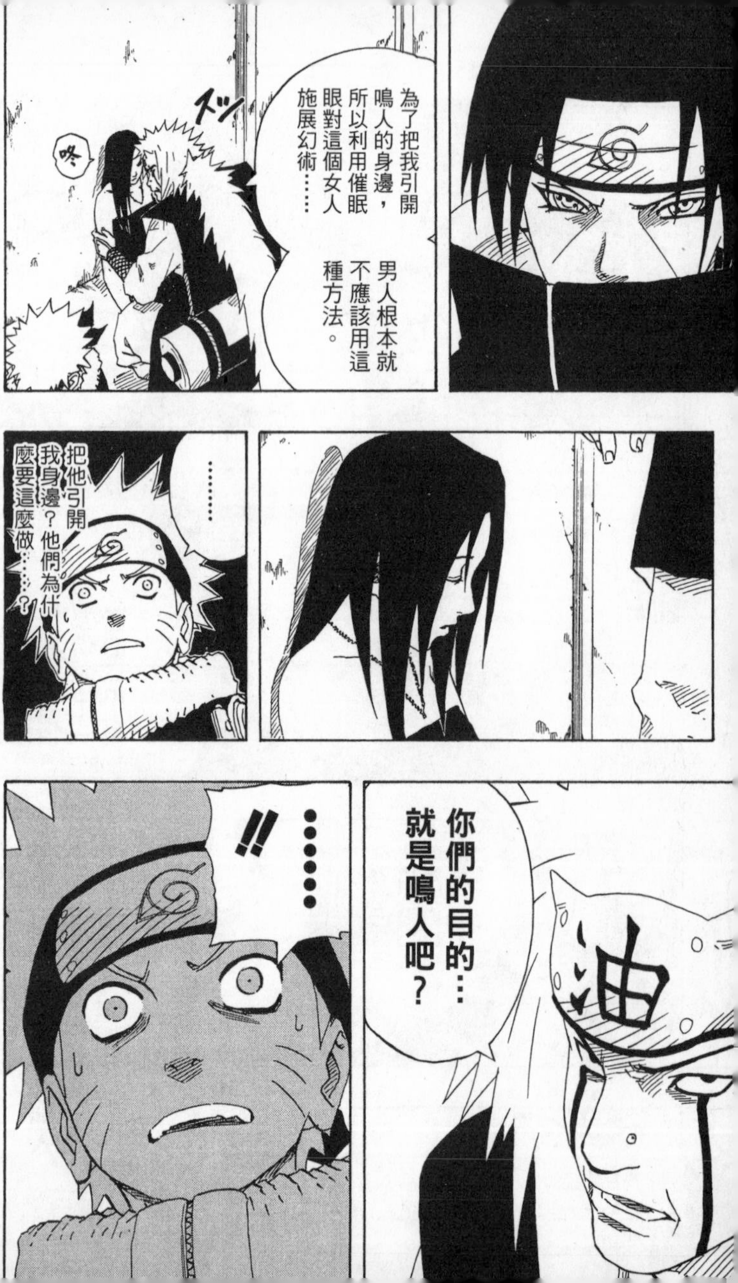
為了把我引開鳴人的身邊，所以利用催眠眼對這個女人施展幻術……
男人根本就不應該用這種方法。
咚
……
把他引開我身邊？他們為什麼要這麼做……？
你們的目的……就是鳴人吧？
……！！

……
……!?
難怪卡卡西先生會知道這件事……
…………
原來情報的來源就是你……
把鳴人帶走……
這就是我們組織"曉"下達給我們的至上命令。

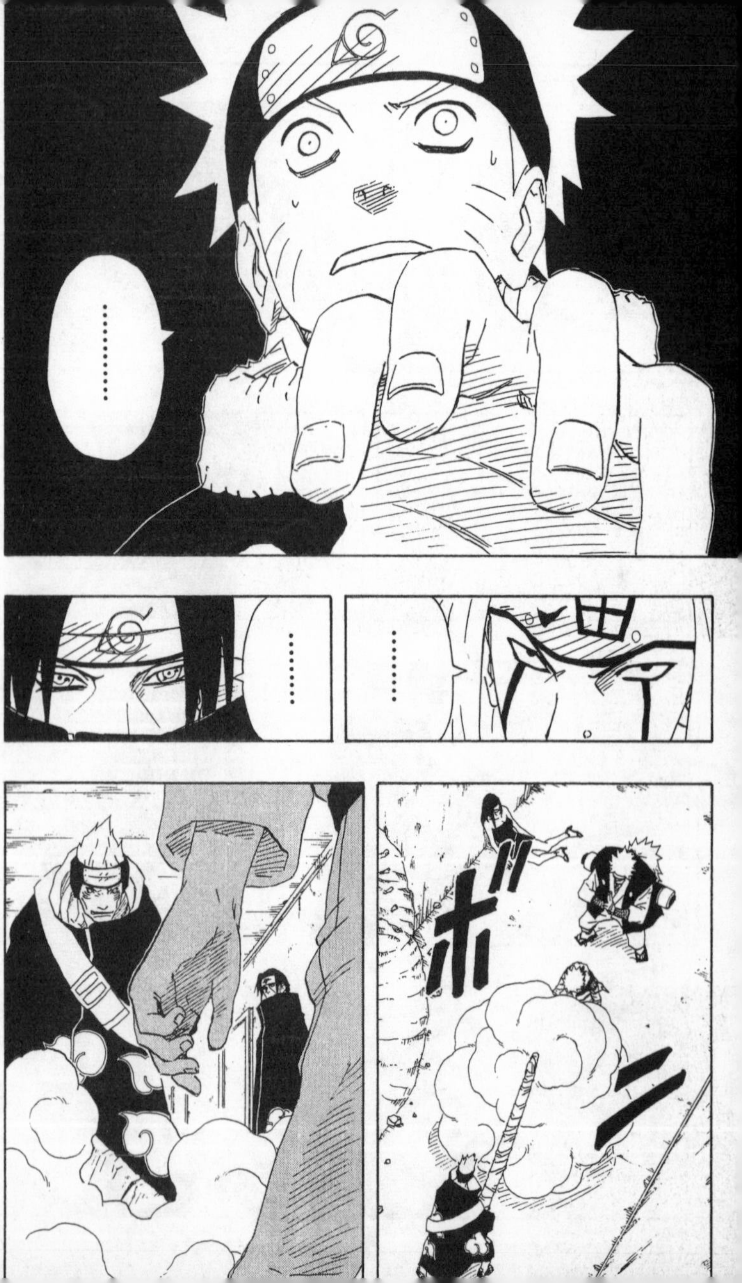
……
……
……
ボン

我不能把鳴人交給你們……
那真是太剛好了，我就順便……
把你們兩個收拾掉吧！
那可不一定喔……
……不要插手……
！
ビクッ
……

……我要親手……
殺了他……!
呼
呼
フラッ

!!
佐助……!
!
……!
……
現在……我對你一點興趣也沒有!
呼
呼
呼

!!
嗚哇！
佐助！
你這傢伙！
ダッ

鳴人！
呼
呼
……我不是叫你不要插手嗎！
！
ビクッ
ピタッ
抖…抖…
………
他已經無法結印了……
這是屬於我的戰鬥！

……
他是要報仇……
!
唰
唰
呼
呼
ザッ
來啊——!

嗚！
……
呼
呼
呼
怎…怎麼會這樣…
嗚哇！
嗚喔！
……

哇啊！
從那時候開始……
就一直沒有縮短的這個差距…到底是什麼？
你真不懂得手下留情呢。
可惡…
……

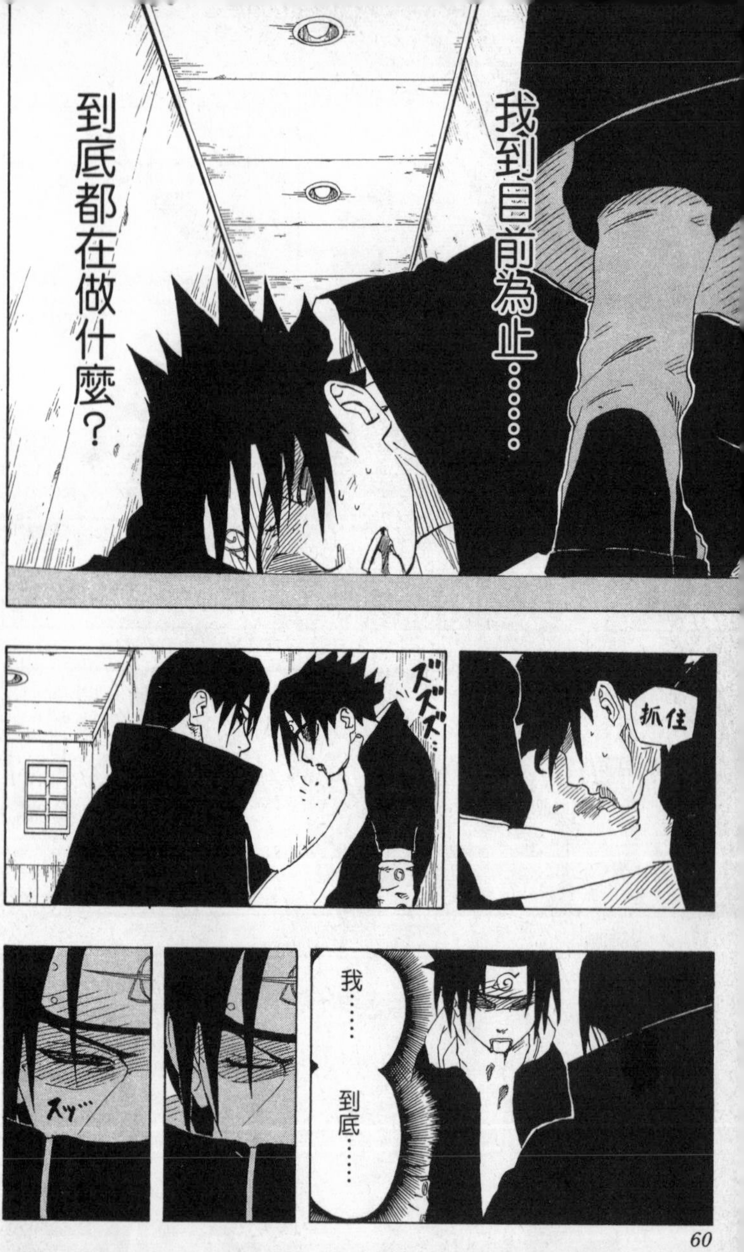
我到目前為止……
到底都在做什麼？
抓住
ズズズ
我……
到底……
スッ…

!!
……
你太弱了……
!?
接下來的24小時……你就徘徊在那個日子裡吧。
シュッ

哇啊啊啊啊
鼬……
這一招最好不要在一天之內用太多次吧！
啊啊啊啊啊！
你這傢伙！別再傷害他了——！

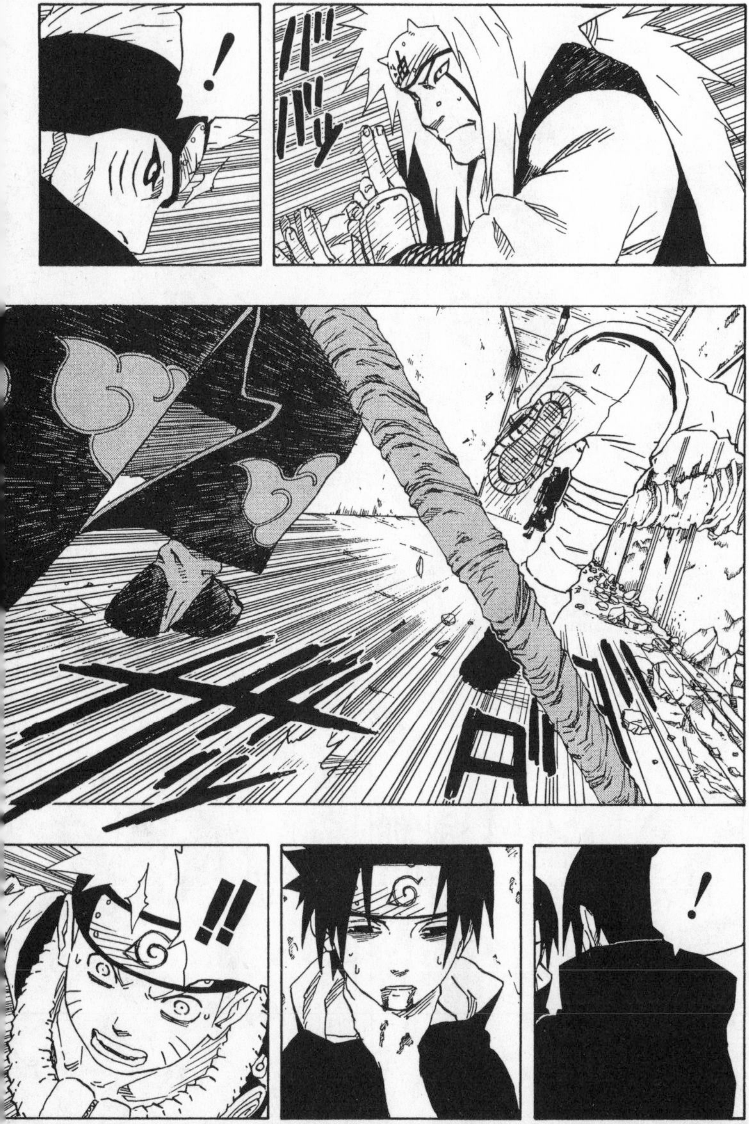
ババッ
!
!
!!

ズズ
忍法・蛤蟆嘴束縛術！
ズズズズ
鬆手
！
ズズッ

ズズ
！
ズズズッ
鼬、鬼鮫，很可惜……
你們已經在我的肚子裡啦——！

うまい
安い
祝連載3周年
製作動畫！
最近都沒有開天窗的危機，
狀況真的是好的不得了呢。
請您繼續努力喔！

148：鼬的能力！

148：鼬的能力！

我召喚了妙木山・岩宿大蛤蟆的食道。
反正你們都是被通緝的人，乾脆就直接變成大蛤蟆的食物吧！
這……這到底是什麼東西啊？
鳴人，你別亂動！
放心吧！這是我施展的忍術！

ザッ
鬼鮫，跟我來！
可惡！
拔出
ブチブチ
！
啊！
到目前為止，還沒有人能逃出這個地方呢——！
油
グッ

肉壁居然在逼近我們……

肉壁的速度比較快，再這樣下去的話……
ビクッ
！
閉上
……
!!
ダッ
ザザッ
!!
怎麼了？
ダッ

!
ザザッ
啊！
他們不見了！
酒
沒想到……
這個肉壁居然會
被他打破……

バシャ
バシャ
為什麼我們要撤退呢？
依你的能力……
我們不必急著帶走『現在的』鳴人……
而且……我必須找個地方讓我的身體休息一下……
呼
呼
因為不只是"月讀"…
我連"天照"都用上了……
咻咻
酒
メラ
メラ
メラ

這些火是什麼？怎麼是黑色的？
ズン
小心點！別靠近！
什麼？
他們到底是怎麼逃出去的？那黑色的火又是什麼東西？
本來應該會噴火的岩宿大蛤蟆的內臟，居然會被燒破……
ズッ
カキ
カキ
カキ
カキ
？
行了！

封印術！
封火法印！
哇哇！
……！
綁緊

好！這樣應該就沒問題了！
塞入
我們去看看佐助吧。
！
ズリュウ…
佐助！
タッ
タッ
ダン
フッ…
ズッ

ザッ
！
!!
動力前奏曲！
阿凱…？
!!?

ガッ
…咦？

酒
不好意思…我居然直接踢中您……因為我急著趕來，忘了帶鏡子…哈哈哈……
雖然我用護額來當鏡子，但是根本就看不清楚，又看到您的表情那麼兇狠，就以為您是敵人……
ズッ
你這……算是在道歉嗎？
算了，這根本就不重要……
我們得趕快把佐助送到醫療班那裡去……
他的雙手和肋骨都骨折了……
而且似乎被敵人用瞳術進行精神上的攻擊，所以已經失去意識了。
……
他也中了那一招……
好色仙人！佐助他沒事吧？
油
他的精神好像受到了不小的打擊…

……可惡……！
怎麼會這樣！那傢伙到底對佐助做了什麼？
ググッ…
好色仙人！
我們改變預定吧！
雖然我剛剛覺得很害怕，但這次……
我要找那兩個穿黑色披風的傢伙好好算帳——！

他們的目標不就是我嗎？
那我們乾脆主動去找他們吧——！

哼！你現在去找他們，也只是白白送死罷了。
你的程度和他們差太多了。
我光是保護你……
不被他們找到，就已經夠辛苦了。
難道我就得一直逃避他們嗎？
我必須每天都過著心驚膽跳的生活嗎？
給我閉嘴！
ビクッ
！

你太弱了……
……
阿凱，不好意思…我本來是想讓他達成自己的願望，
但看來我還是應該早點出手救他才對……
卡卡西也因為中了同一個招式，現在正在村子裡休息。不知道他什麼時候才會恢復意識……
連卡卡西老師也……
……

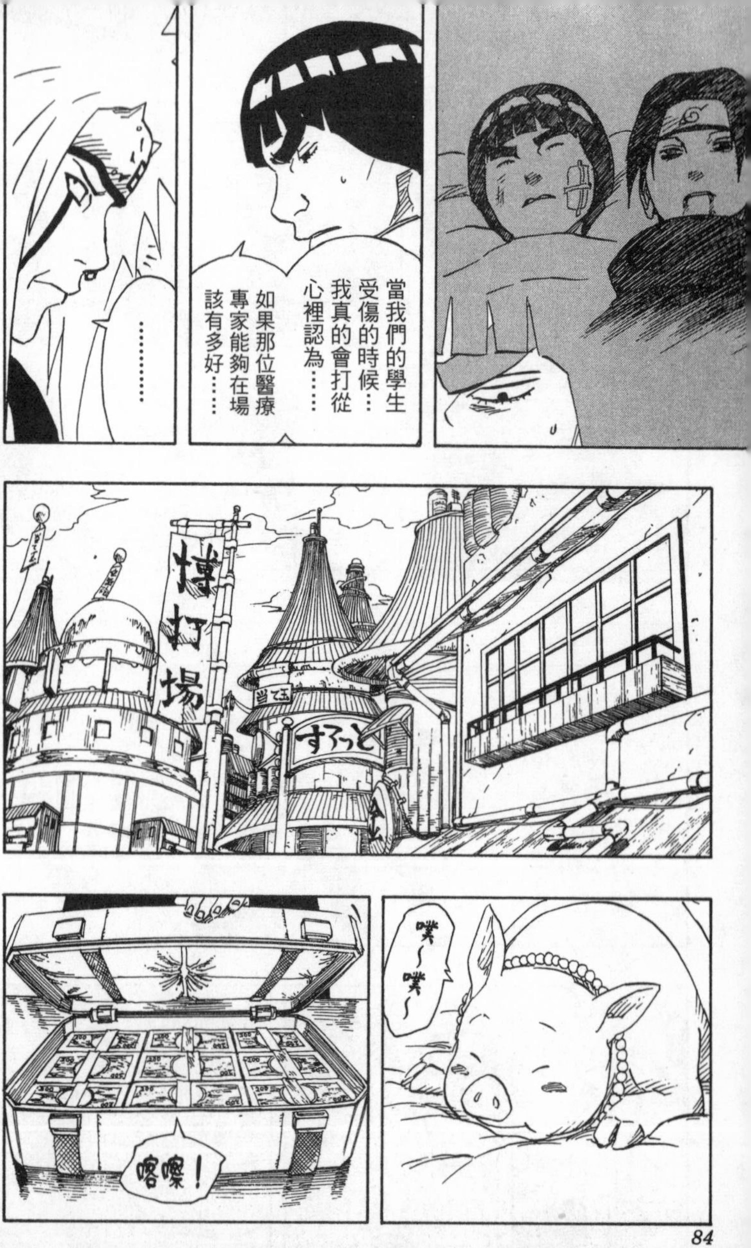
當我們的學生受傷的時候…我真的會打從心裡認為……
如果那位醫療專家能夠在場該有多好……
……
博打場
すろっと
噗~噗~
喀嚓！

…嗚啊喔！
陀陀
難……
難道那筆錢……
是我借來的！
所以……
我們正要去找她
呢。
難道那個人
就是……
？
她就是和我同
樣是三忍，
油
擁有除去病痛
能力的蛞蝓使
者……
好——！
背後寫著一個
”賭“字的綱
手公主。
這樣不只能把錢贏回來，
還可以大賺一筆呢！
賭

祝三週年！
真是厲害啊♡ 河原
02.11.8

149：傳說中的……！

魂斗屋
ファンファン通り
宿
……
自來也大人。
！
請您一定要找到綱手大人……
並且帶她回來。

我們一定會找到她，
並且馬上帶她回來的！
在我們回來之前，
佐助就麻煩您囉！
超級濃眉老師！
……
！
啪
阿凱，
再見啦…
佐助就拜
託你囉。
キラーン
鳴人，我很
喜歡像你這
種充滿幹勁
的孩子！
這東西就
送給你吧！
摸索～
？
小李就是靠這
個變強的……
真的嗎？
那是什麼
東西啊？

就是這個！
……
！
透氣性、保溫性都非常優秀，並且極力追求容易行動的完美外型以及美麗的線條！
修行的時候穿上這套衣服，立刻就能感覺到有差別！你馬上就會愛上這套衣服！
到時候你應該就會像小李一樣經常的穿著這套衣服吧！我當然也很喜歡這套衣服喔！
太棒了！
笨蛋！與其隨身帶著那種東西…不如帶面鏡子在身上啦！

難道……你想穿著那套衣服和我一起去旅行嗎？
這適合我嗎……？
我看還是算了！
你看看眼前的那個人…實在是難看死了。
再見～
大入
丁半ばくち

嗚啊喔——!
這…這裡不就是賭金最高的地方嗎?
有什麼好怕的啊?走吧!
大
噠噠
賭
禁止詐賭
……嗯?
……
!
她……她是……

……
你們的目的……
就是鳴人吧？
把鳴人帶走……
就是我們組織"曉"下達給我們的至上命令。
！
你怎麼了？

好色仙人……
他們為什麼要找上我呢？
……
你應該知道……
他們為什麼要這麼做吧？
……
與其說他們想要得到的是你……
不如說他們想要你體內的東西。
這傢伙到底是什麼東西啊……？
摸
……

這傢伙不就是襲擊木葉的怪物嗎？
グッ
所以大家才會那麼怕牠……但他們為什麼想得到這東西呢？
……
沒錯……九尾是自古以來就會在各時代中出現……
並且把所有的東西都破壞掉的妖魔。
所以過去的人都把九尾當作一種天災，並且非常怕牠。

…………
…………
老實說……連我都不知道……
他們想要那東西的真正目的……
…………
但既然"九尾"被封印在你的體內，
他們應該就會想要由自己控制那股"力量"……
…………

殘酷的是……你會一直被他們覬覦……這就是你的命運。
不過……我會保護你的，放心吧。
那我就必須……
趕快變強囉！

好！那我們趕快去找那個叫綱手的人！
等她救了佐助之後，就趕快去修行吧！
嘻嘻……
真像他的作風啊……
嗯？
…怎麼了？

你說想採訪的美女……
難道就是綱手嗎？
你真聰明啊！
那又怎麼樣呢？
她和你一樣，也是三忍的其中一人吧？
這有什麼關係嗎？
她幾歲……了啊？
和我一樣啊。
那根本就是老太婆嘛！

テク テク
那個叫綱手的是個什麼樣的人啊？
怎麼?你對她有興趣啊？
這個嘛……
簡單的說……她是個討厭的傢伙……
另外就是……她非常喜歡賭博，每個國家的人都知道她的長相。
既然她這麼有名，那應該很快就能夠找到了嘛！
噠 噠
她真的很有名喔。
因為她就是傳說中的……
ズッ
油
請幫我把這些錢全都換成籌碼。
ドン

這…這傢伙不就是……
你不知道嗎……？
她就是擁有那個綽號的……
這位大姊到底是誰啊？
綽號？
她就是傳說中的……
傳說中的……

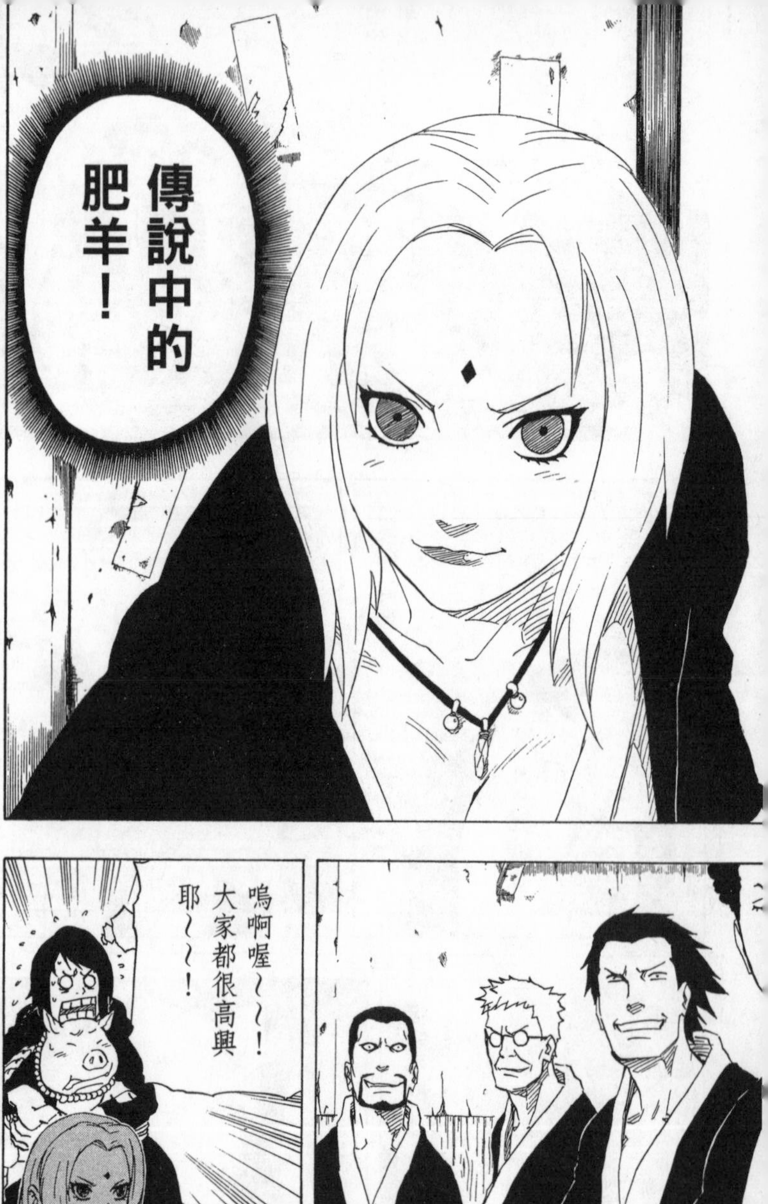
傳說中的肥羊！
嗚啊喔～～！
大家都很高興耶～～！

雖然她很有名，但應該不會那麼容易找到她……
因為她很討厭自己年老的樣子，所以現在應該也用特殊的忍術改變了自己的外表。
實際上她已經五十歲了，但外表還是停留在二十幾歲的樣子……
テク
テク
甚至我最近還聽說……
她還會隨機應變，變化成十幾歲、三十幾歲、四十幾歲的樣子，藉此來逃過上門討債的人……
…………
真是胡來啊……
テク
テク
綱手從小就很喜歡賭博，
但是她的運氣與實力卻差到極點……

因為她老是被別人贏錢，所以才被取了那個綽號。
而她每次也都是借了錢之後就跑掉……真令人懷念啊。
現在不是懷念往事的時候吧！
那我們要怎麼找到她啊？
不知道…
雖然只能腳踏實地的找，但能用的方法很多喔……
油
什麼嘛——
那這樣根本就不知道要花多少時間嘛！
我不會浪費時間的。
我會把途中所有的時間都投注在你身上！

投注在我身上？
你可以利用這些時間變強，
也就是要去修行啦！
!!
太棒了！
バッ
但你不必穿上那套衣服啦…
我可不想和穿著那套衣服的人走在一起……

岸本老師，請您注意自己
的健康，並且繼續努力。

大久保 彰

150：
開始修行…？
好色仙人！
噠噠
我們趕快來修行啦！
別這麼急嘛……
我們要一邊收集關於綱手的情報，一邊修行才有意義啊。
噠噠
收集情報……？
噠噠

150：開始修行…？
就在這個城鎮！
噠
喀
喔喔喔～～！
吵鬧
吵鬧
吵鬧
吵鬧
吵鬧
吵鬧
吵鬧

わたあめ
たこ焼
吵鬧
吵鬧
吵鬧
吵鬧
哇~~~
哇~~~
吵鬧
吵鬧
哇！好棒喔！我從來沒看過這種盛況耶！
キョロ キョロ
ガッ ガッ
娛樂也是有必要的！我們先好好休息一陣子再開始修行吧！
這個祭典會持續一陣子……
這陣子我們都要住在這裡。
修行也要在這裡進行。
太棒了——！
摸索 摸索

ド
飽滿～飽滿～
鳴人的錢包
哦——！你蠻有錢的嘛！
簡直就是財政部長！
だ
我真的很有錢喔！每個任務結束之後，我都會存一點下來呢！嘻嘻嘻～～
我要去玩囉！
鳴人！等一下！
！
你的錢包交給我保管。
你能用的…就只有這些。
什麼～～？只有三百兩？
不要抱怨——！
你也知道忍者有所謂的「三禁」吧——！
油
※一兩＝十圓，因此三百兩就是三千圓。

忍者三禁？那是什麼啊～～～？
什麼？你居然不知道？
所謂的忍者「三禁」就是會危害忍者的三種慾望！
這三種慾望指的就是酒、女人、金錢。
那和我一點關係都沒有嘛！
我還沒滿二十歲，所以不能喝酒！
也不知道對女人的慾望到底是什麼東西。
而且錢都是我拚命存來的，所以我也不想花掉太多錢啊。
火大！
笨蛋！別小看金錢的慾望！
只要一開始花錢，就會停不下來！
金錢的魔力是很可怕的！
我們正要去找的綱手就差點被錢害死啊！
你還不是會馬上展露出對女人的慾望！
我的行李就讓你帶著吧！即使你迷路了，召喚來進行追蹤的癩蛤蟆就會帶著我的味道來找我。
我現在要開始去收集情報了。

哼～～！
ザッ
嘻嘻……
他真的還是個小孩子呢……
投橡皮球！
金魚

絆
！
串だんご
たこ焼
おでん
そば
好痛！
戴著面具走路會看不到地面，是非常危險的喔！
嗯？
存摺
D-1237
自來也
這是好色仙人的存摺啊……
スッ

有好多個零啊！
既然他有這麼多錢，為什麼都不請客呢？
真是小氣！
錢只剩這些…去下一家店玩一玩就要沒錢了……
…………
你可以利用這些時間變強，
也就是要去修行啦！
嘻嘻

老闆！我要兩隻烤花枝！
一隻要這種給大人吃的——！
嘶嘶～
嘶嘶～
嘶嘶～
タタッ
小弟，你自己來買東西啊！真了不起！
另一隻小孩子吃的算你免費吧！
真不愧是老闆！帥哥一個！
喔！你還知道我是帥哥啊！
好！給大人吃的這隻也算你半價吧！
吵鬧
吵鬧
いか焼
真是的……他到底跑到哪裡去啦？
東張
西望
哈哈哈哈哈哈哈！
啊！那是好色仙人的聲音！
！
ザッ

イチャ♡ イチャ♡
哈哈哈！年輕女孩真棒啊！
……
嗯？鳴人！你已經去看過祭典了嗎？
！
！
プシュ～～…
……

你自己再說說看忍者「三禁」是什麼！
居然一口氣就打破了三種禁忌！太差勁了！
而且還把我拚命存的錢給花光了！
你有空做這種事情，還不如趕快帶我去修行啦！
鬆手
碰！
碰！
嗚人…不要這樣啦！我知道錯了啦……！
啪！
死小鬼！你這是幹什麼——！
！

居然在大哥的名牌衣服上留下污漬！
你知道這件衣服值多少錢嗎？快賠錢！
給我拿十萬兩出來！
什麼？那種衣服值十萬兩？
那種難看的衣服被弄髒了還跟他要十萬兩啊……你們太過分囉…
幹嘛？想打架不成？
勸你們最好乖乖聽話喔！
我大哥以前可是岩忍者村的中忍，是個被稱為傳說中的黑暗忍者，而且人人都害怕的厲害忍者哦！
什麼？傳說中的……什麼？
看來你真的想找點苦頭吃吃呢！
鳴人…
！

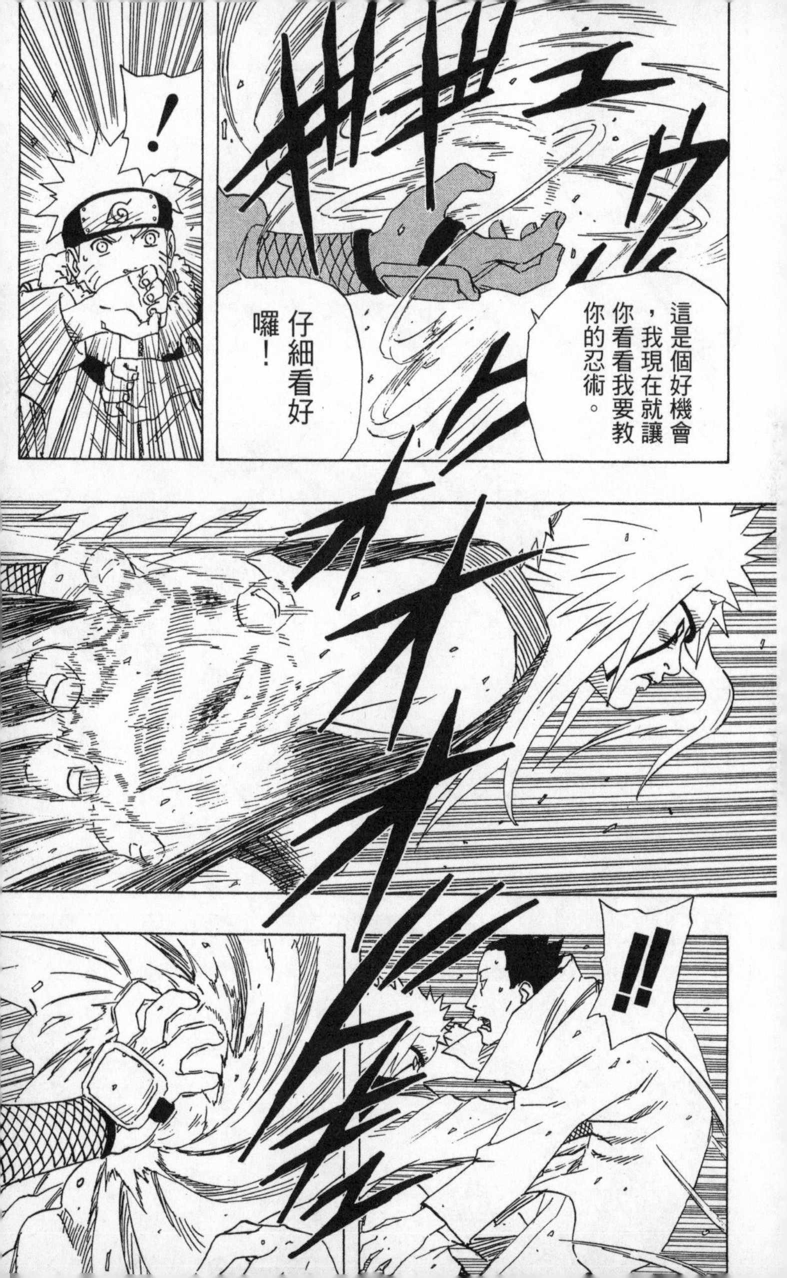
這是個好機會，我現在就讓你看看我要教你的忍術。
仔細看好囉！
!
!!

哇啊啊啊啊啊啊！

好……好厲害喔！
接住
晃動……
……
嗯……
咻～～

這算是修理費……抱歉，弄壞了你的攤子……
噠
噠
………
你…你到底是…
我已經儘量手下留情了……你們太弱了啦。
老闆！我想順便買下所有的水球和氣球，可以嗎？
……是可以啦……
………
那並不是一般的掌底……剛剛那招到底是什麼？
鳴人！跟我來吧——！
要去修行啦！
好——！

終於要開始修行了！
這個水球給你！
丟
！
ポヨン
晃動
晃動
這是要幹什麼用的啊？
你剛剛有沒有仔細看我使出的那個忍術？
有啊！
你覺得那是什麼樣的忍術？

……嗯——
我記得敵人旋轉得非常厲害……
……
微笑
雖然他看錯地方了……但也相去不遠……
晃動 晃動
沒錯……就是旋轉！
グッ
手根本沒有動……就讓氣球裡面的水旋轉？
在”爬樹修行“中，要把查克拉聚集並維持在必要的地方。
在”水面步行修行“中，必須要持續放出一定量的查克拉。這兩件事情之前你就做過了……
パァァン
哇！

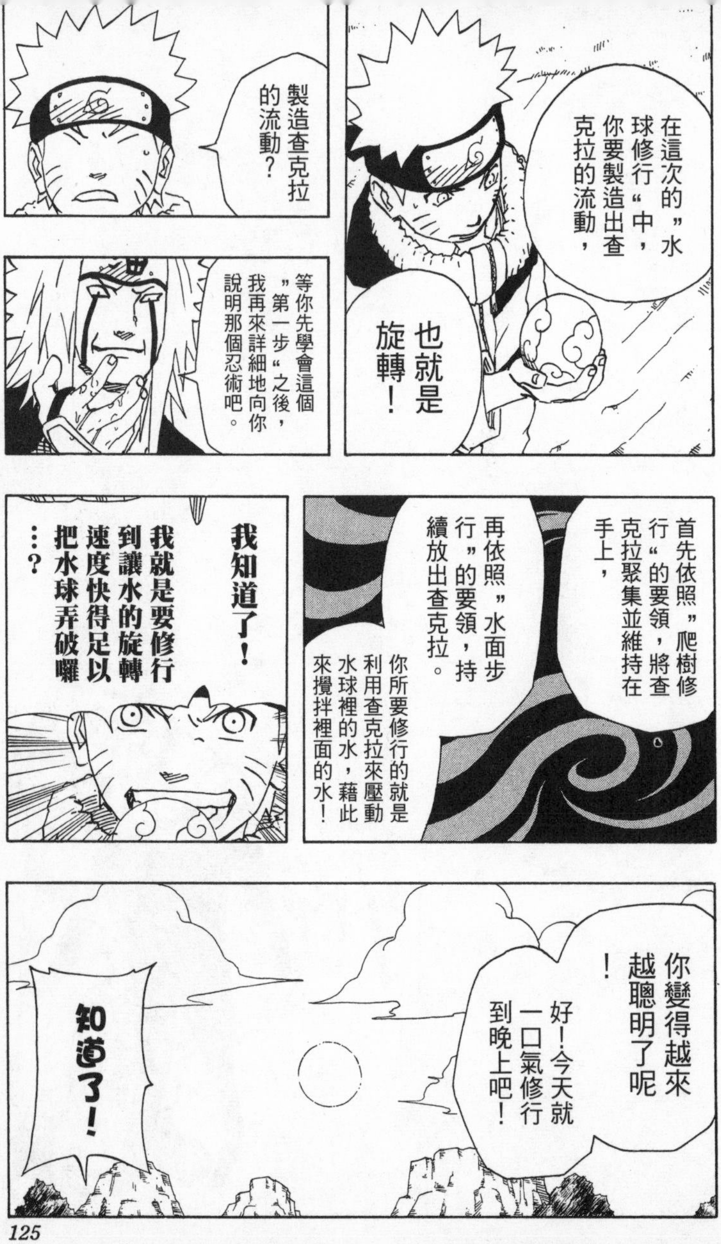
在這次的”水球修行“中，你要製造出查克拉的流動，
也就是旋轉！
製造查克拉的流動？
等你先學會這個”第一步“之後，我再來詳細地向你說明那個忍術吧。
首先依照”爬樹修行“的要領，將查克拉聚集並維持在手上，
再依照”水面步行”的要領，持續放出查克拉。
你所要修行的就是利用查克拉來壓動水球裡的水，藉此來攪拌裡面的水！
我知道了！
我就是要修行到讓水的旋轉速度快得足以把水球弄破囉…？
你變得越來越聰明了呢！
好！今天就一口氣修行到晚上吧！
知道了！

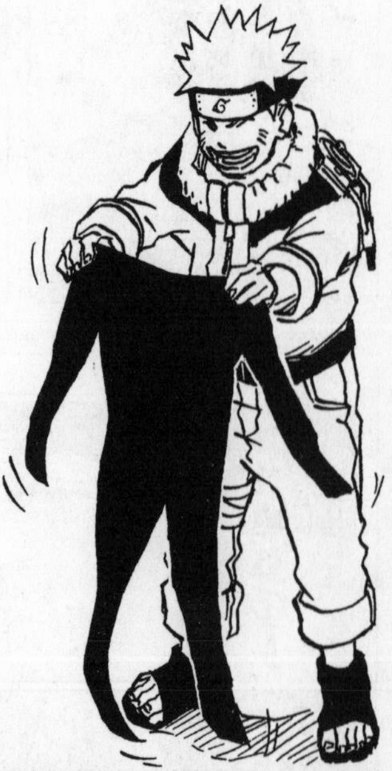

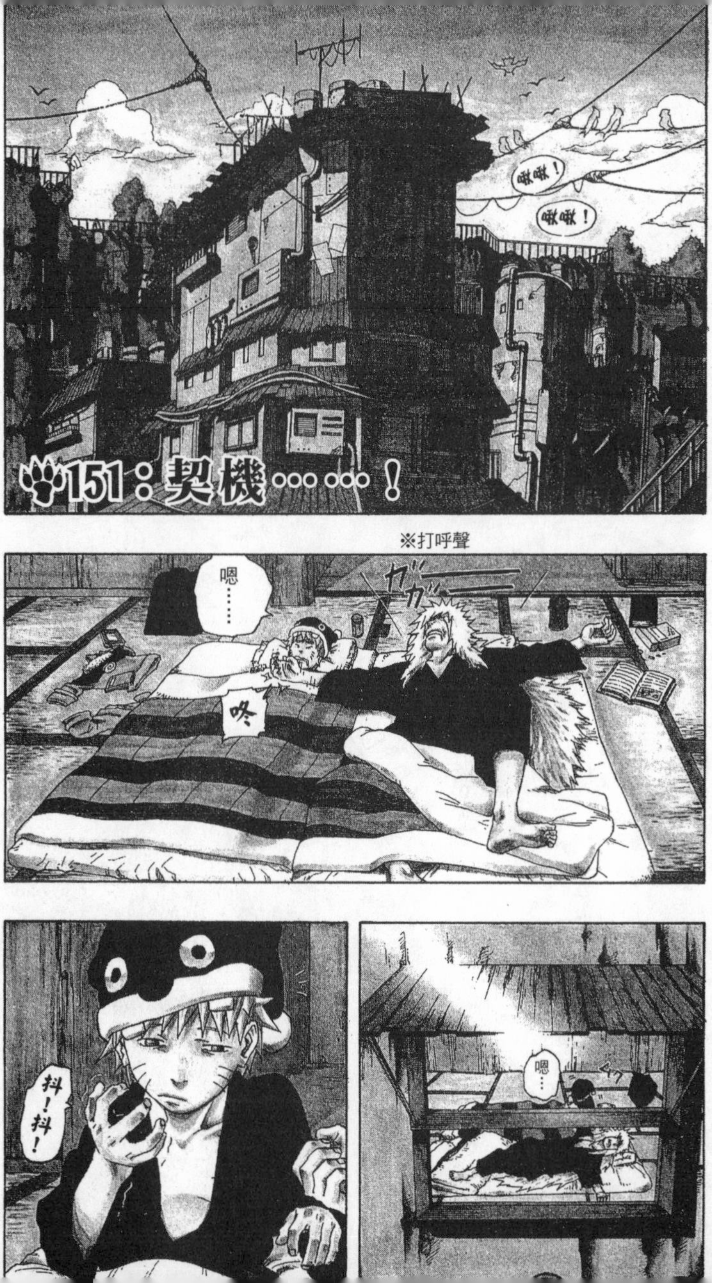
啾啾！
啾啾！
151：契機……！
※打呼聲
嗯……
咚
嗯……
抖！抖！

151：契機……！

NARUTO

火影忍者

喀
喵~~~~
!
阿鷲！下樓去吧！
喵~
廁所在哪裡啊？

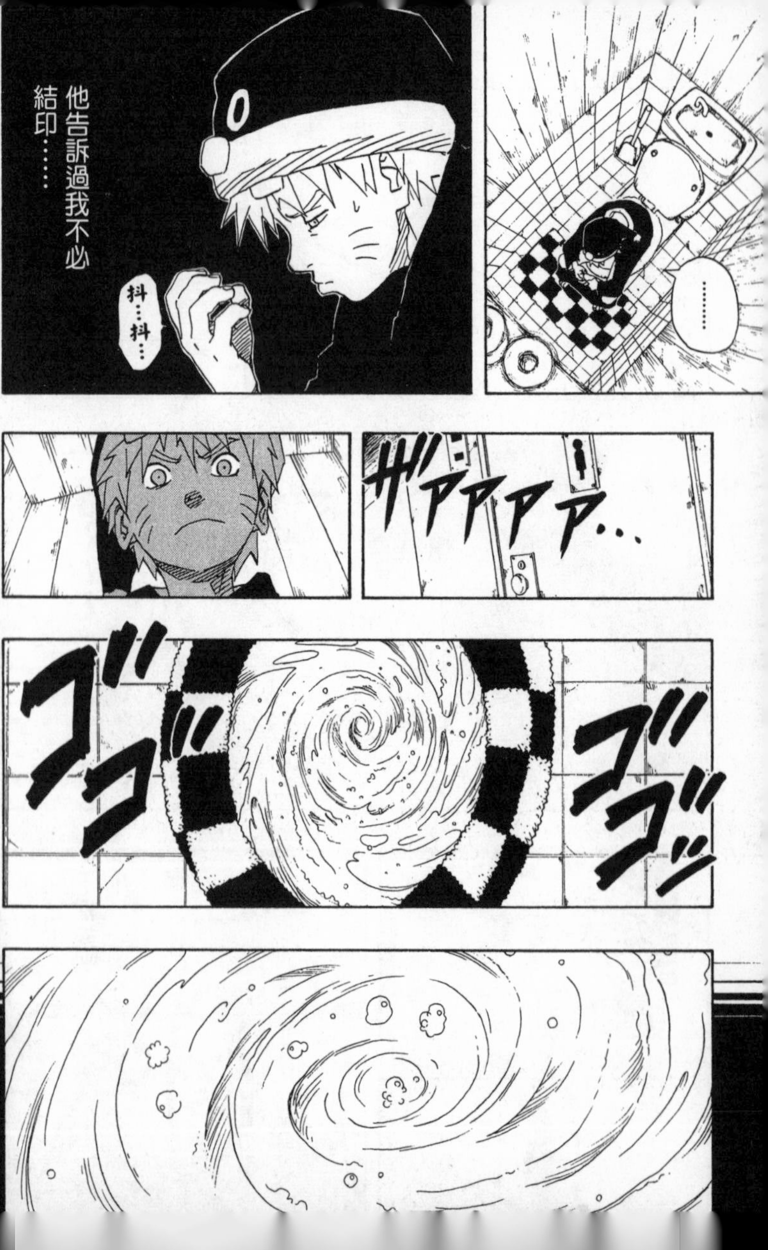
……
他告訴過我不必結印……
抖…抖…
ザアアアア…
ゴゴッ
ゴゴ

パチャ パチャ
成功了！
嘩啦嘩啦
水正在旋轉呢——！
看來我可以輕易地把水球弄破呢……！
那在你弄破之前，我先去睡個午覺吧……
ザッ
照這樣下去，您連想睡個午覺都沒辦法呢！
嘻嘻…

嘎——
嘎——
呼嚕～～呼嚕～～
……
嘩啦 嘩啦
啊——氣死我了！為什麼就是弄不破呢？
嘩啦
……！
嗯——？

哦——……你已經弄破了嗎？
嚇到！
……
アセアセ
唉……看來不只是午睡……
我早就已經好好地睡了一覺呢……
ムスッ…
我想問一下……
到底要怎麼做才能夠弄破啊？
……
嘿咻！
我不是說過在你弄破水球之前，不會對你解釋詳細的情形嗎？
……

ブッ
好吧……
本來我是想讓你自己在錯誤中學習，
藉此學會關於忍術的知識……
我就教你一些關於忍術的知識吧……
你先讓水旋轉吧！
!!
知……知道了！
グッ
バチャ
バチャ

左和右…你讓水往哪一邊轉啊？
嗯……左邊……
你過來一下……
招手招手
咚！
？
嘻嘻……
果然沒錯……
!?
什……什麼啊？

你果然是屬於右迴旋型。
!?
因為在製造查克拉的時候必須混合能量，所以每個人都會在無意識的狀況下，讓能量在體內旋轉，進而製造出查克拉。
這時候能量旋轉的方向是往左或是往右會因人而異。
查克拉
身體能量
精神能量
〔左迴旋〕
〔右迴旋〕
也就是說…在這修行中，你如果讓水的旋轉方向與自己所屬的迴旋形態相反時，
查克拉的流動就會變得斷斷續續，並且互相干擾，氣勢就不易變強。
不過……這種事情應該能夠自己發現的啊……
你為什麼一眼就能看出我是右迴旋型呢？
看頭髮的方向啦。
只要看頭髮的生長方向就知道了。
如果是往右捲就是右迴旋型，往左捲就是左迴旋型。
這很簡單呢。

這樣啊……
那我的頭髮是往右捲囉？
沒錯，所以你要讓水轉往右邊。
我之前都不在意這種事情耶……
不過，這個忍術非常的適合你，
因為完全不需要結印，只要能製造查克拉就行了。
所以不需要去記困難的印！
連笨蛋都學得會！
好——！沒想到這個忍術這麼簡單！
只要花個三天，我就能夠完全學會了！
……

這個忍術可是第四代火影遺留下來的！
第四代火影花了整整三年才完成這個忍術……
以忍術的六個階段來說，這是第二困難的等級……
也就是A級的超高等忍術。
……

要學會這個忍術，
需要進行三個階段的修行。
”破水球“就是第一階段。
……
……
連號稱天才忍者第四代火影也花了三年……
……
和已經完成第一階段的人說明這個忍術根本就是毫無意義的，
接下來你就自己試試看吧。
我要回客棧去囉！
噠
那你呢？
……
難易度A級……
第四代火影遺留下來的忍術……
……

我還不想回去！
那我先走囉……
別太勉強喔！

ハジ
ハジ
可惡啊！
呼
呼
呼
呼
自從我問了好色仙人之後，已經過了三天……
雖然已經能夠讓橡皮伸長，但為什麼還是弄不破呢？
呼
呼
呼
呼
這是怎麼回事？
我和好色仙人的差別到底在哪裡？
喵～～
喵～～
!
喵～～
ゴロゴロ
啊！
那不是給你玩的玩具啦……

啪！
啪！
嘩啦 嘩啦
パシ
サッ
パァン
ビクッ
喵——！
就是這個……！
快給我起來啦！
喂！好色仙人！

嗯～～～……
嘿嘿嘿……
ニヤ
ザッ
パァン
バシャッ
哇！
我已經完成第一階段囉！

生平事蹟㉕

HOP☆STEP獎佳作！我終於得獎了！本月份的HOP☆STEP獎第一名的作品可以被刊載在赤丸JUMP上。「我終於可以讓世上的人都看到我的漫畫了！」。我記得那時候因為非常高興，所以一個人在家裡發出奇怪的聲音，並且一直笑。我想把這個喜悅跟別人分享！當我這麼想的時候，我立刻打電話給老家的父母親。結果是由媽媽來接電話。

斉史「媽媽！我得到JUMP的HOP☆STEP獎了！是佳作！是佳作啊！」
老媽「什麼？什麼佳作啊？」
斉史「我參加JUMP的新人投稿作品比賽，結果在以後能夠成為漫畫家的獎項中得到佳作了！」
老媽「你說誰得獎了？」
斉史「就是我啊！」
老媽「真的嗎？那真的是太好了…」
斉史「這樣我就往漫畫家這個職業邁進一步了！我以後要努力的畫漫畫，然後…」
老媽「那…你有沒有好好的吃飯啊？」
斉史「………」
老媽「別老是只吃便利商店裡賣的泡麵！要多吃蔬菜啊！」
斉史「………」
老媽「尤其要多吃燉的東西！那對身體很好喔！」
斉史「知道了…我要掛電話囉…電話卡的度數快用完了…」
老媽「好吧！有空再打電話來…保重身體啊！」
斉史「我知道…」

我沒辦法把我的喜悅分享給媽媽…跟得獎的事比起來，媽媽好像比較在意我的身體。因此我就有了要保重身體，並且一邊努力畫漫畫的想法。當時很興奮的我也終於冷靜下來了。

152：

那麼……
讓我看看……
擦擦
好——！仔細看著吧！
……
左手……？
吸氣……
喝——！

成功了——！
看到沒啊！

呼……
嚕……
カクッ
哇啊啊啊啊！
居然睡著了！
啾啾
啾啾
……
對不起啦……
因為每天晚上都在收集情報，所以累得要死。
…你去收集情報的行為就夠可疑了啦！
……不過……
居然藉由右手數度去碰觸拿在左手的水球，讓裡面的水旋轉…
喝啊！
啪！
啪！
啪！
雖然他的想法有點奇怪，
但還蠻有趣的呢。

沒想到…你居然在這麼短的時間內，就抓到訣竅了……
這全部是靠牠喔！
牠叫阿鷲。
フリ
フリ
喵～～～
？
我看到牠用前腳一直在玩水球時，
發現了一件事……
啪
啪！
嘩啦
嘩啦
ゴロン ゴロン
因為牠一直用前腳去碰水球的關係……
裡面的水會往不同的方向轉動……
タプ
タプ
所以我就想到一件事！
…你想到什麼事？

我想到你第一次弄破水球給我看的時候……
水球本身會變得凹凸不平……
到目前為止，我只能一直讓水往同一個方向轉動……
所以我發現你的水球……
會變得凹凸不平……
就是因為水球裡的水正在往不同的方向轉動。
……
後來我就照我的方法來試試……
結果就弄破了！

……
雖然他還無法用單手讓查克拉呈現不定向的旋轉，
但是他卻想出了一套屬於自己的方法……
嘻嘻嘻…
看來你已經完成修行的第一階段了。
太棒了——！
啪！
嗟！
……
開始對他的經絡系統造成負荷了……
好痛！
抖動
但是……第二階段的修行可沒這麼容易喔。

那麼——現在開始進行第二階段的修行。
好耶！
好像終於要開始進行比較正常的修行了呢！
拿去吧！
丟～
!?
……！
……橡皮球……？
啪
捏～
什麼～～～？
又要玩那套啊！
這次你要弄破這東西。
グッ

哇——!
這比水球還要硬上一百倍喔。
……
……
スッ

這……
好硬……！
第一階段是旋轉，第二階段是威力。
因為這裡面沒有水，無法去想像查克拉旋轉的方向，所以要旋轉查克拉就變難了。
！
你就努力地試試吧……
……
這又需要一些訣竅了……
那我要去收集情報了……
啊！等一下！等一下！
今天請你和我一起修行吧！
別撒嬌！你是不是搞錯啦？
雖然我說要教你忍術，但我沒有義務要陪在你身邊教你。
如果你沒辦法單獨學會，就表示你學不會。
別老是像個小鬼……你要更像個忍者才行啊！
那至少……
至少再教我一點訣竅嘛……

拿錢來。
伸
……
你根本就是個骯髒的大人！
根本就不像個忍者嘛！
唉——不行，根本就弄不破！
ハァー
ハァー
ゼェ
ゼェ

呼
呼
呼
呼
呼
這比弄破水球還要難上好幾倍……
抖！抖！
抖！
而且…手掌和手腕都覺得好痛…
ハァ
ズキン
ゼェ
ズキン
ズキン
抖抖
抖抖
ハァ

可惡——！
呼
呼
呼
我已經做相同的事情好幾天了！
這個忍術是六個階段中，第三難的項目……
別撒嬌！你是不是搞錯啦？
油
喂！鳴人！
呼
呼
呼
幹嘛啦……！
呼
呼
呼
你去山下的鎮上…買我們兩個人的午餐。
什麼——？我去買啊？
你可算是在向我學習忍術的人喔！
不爽
……

熱鬧
熱鬧
熱鬧
他根本什麼都沒教我啊……
這時候就擺出一副師父的樣子。
爸爸，買冰棒給我吃～～～～！
那就買這個…能夠折斷的冰棒吧。
！
使勁拉
啪！
全部都給我吃啦～～～～
不行！
回去之後就要吃媽媽做的午飯了。

たいやき
ガヤ
ガヤ
……
今天……
你能不能……陪我修行一下子啊……?
我沒那種美國時間，我也不會留在這裡吃飯，
我要一邊吃飯，一邊走到鎮上去。
……
……
如果你不自己找出訣竅的話，
是永遠不會有進步的。

我在三個星期前就告訴過你…不要像小孩子一樣撒嬌！
你是個忍者啊！
……
嘻嘻——！
這種事情不用你說，我也知道啦！
呼
呼
呼
呼
可惡……不管我怎麼做都弄不破……
這樣我只是一直在浪費查克拉罷了……
而且……每次放出查克拉的時候，手掌和手腕都會痛得好像有人在刺我的神經一樣。
只要增加放出的量，就會變得更痛……
ズキン
ズキン
ズキン

不過……又覺得……
如果不把查克拉一口氣弄得像要爆炸……
呼
呼
就根本沒辦法弄破橡皮球……
……
！
我懂了！
バッ
嘿！
我可以藉由疼痛來感覺查克拉流動的量，
那如果我一直忍耐到疼痛的極限，
然後一口氣……
ズキン
還沒……還沒到！！還要繼續下去……
ズキン
唔唔……
就是現在！
バッ
バッ

喝啊……
好痛啊——！
ポヒュ
……
プシュ〜〜〜
喔……看來你似乎有點進步囉……
！
哼！我只不過是讓球破個洞而已，
還沒有把整個球弄破啦！

別逞強了啦！
拿去吧！
！
沒想到你能夠靠自己的力量努力到這地步。
遞出
……
嘻嘻…
既然你已經能夠做到這個程度，接下來就是靠訣竅了。
你要不要試試看啊……？
什麼？試什麼東西？
把右手伸出來。
嗯？
點～
這是什麼？

生平事蹟㉖

當時我住的地方並沒有電話，找我的電話都是由房東轉接給我的。當我的作品在JUMP上被公佈得獎時，集英社的JUMP編輯部打電話來找我。

房東拿著自己家裡電話的無線子機在我的房間外面跟我說「岸本！JUMP的編輯打電話來找你喔！」。（不…不會吧！）「好…好的！我馬上接！」我立刻衝出房間，並且抓住無線子機。

子機的保留鍵正在閃閃發光。

（糟…糟了！現在…JUMP的編輯大人打電話到這裡來了！這個無線子機接到的電話就是JUMP編輯大人打來的啊！）

我非常的緊張，心臟好像快要跳出來似的，甚至還忘了要呼吸。

（我到底該跟他說什麼呢？我該用什麼樣的口氣跟他說話呢？但是…我要趕快接電話才行…我不能讓JUMP的編輯大人等太久！）（但是…我要注意禮貌啊！）（但是…我好緊張！畢竟是JUMP的編輯大人打來的電話啊！）（算了！再怎麼想也沒有用！我要踏入全新的領域！）

青年岸本按下了按鍵…

嘟～嘟～嘟～

後來心地善良的JUMP編輯部矢作先生又打電話給我這個因為把通話鍵與保留鍵搞錯，而做出了切斷JUMP編輯部特地打來的電話這種失禮事情的笨男人…

「喂？我是JUMP編輯部的矢作。剛剛電話突然斷掉了，是不是收訊不良呢？」

153：搜索者！

這樣就行啦⋯
?
⋯⋯這是什麼啊?
取下
你看!
!?

這就是所謂的訣竅嗎？
是一樣的東西耶…
我現在就來對你說明。
？
鳴人，看著這張紙。
……
看到啦。
很好！
那麼……再看一次這東西吧！

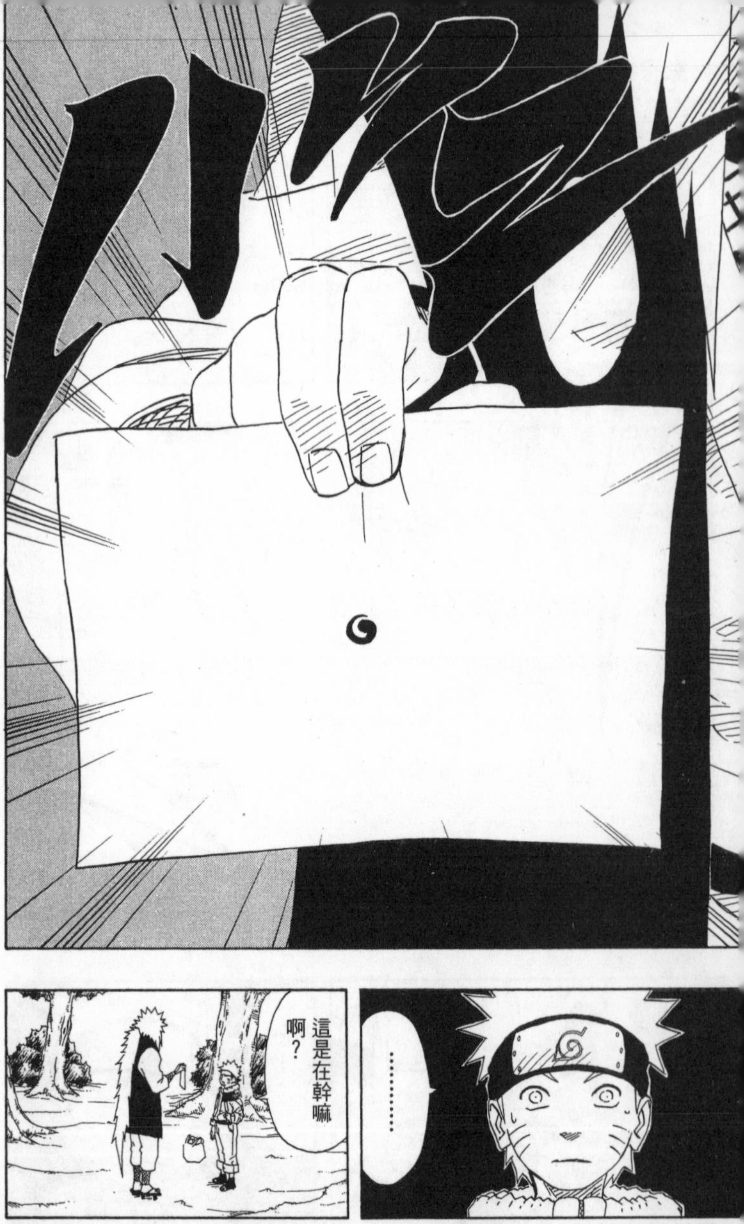
……
這是在幹嘛啊？

呵呵……其實也不必多加說明啦……
你在看剛剛那張白紙的時候，
是不是不知不覺地看了整張紙？
嗯——……
大概是吧。
那你在看這張畫了一個點的紙時，是在看哪裡呢？
大概就是中心的這個點吧？
沒錯！
沒錯！
那……這和訣竅有什麼關係呢？
這傢伙感覺真的挺遲鈍的呢……
這就是所謂的集中啦！
……
集中？

鳴人的視線，看白紙時——
鳴人的視線，看有點的紙時
在看一張白紙時，因為不知道該看哪裡，所以視線會四處飄移……
但是只要在白紙上畫一個點……眼睛就會不知不覺地把那個點當作標記，一直盯著那個點看。
這就叫做〝集中於一點〞——
只要讓精神安定下來，就可以讓自己更接近能夠使出意想不到力量的狀態喔！
這樣啊～～～
舔
也就是要集中精神！
你在忍者學校的時候，經常被罵精神不夠集中吧？
驚！
但是……你剛剛讓橡皮球破洞的時候……
應該已經努力地集中精神，讓查克拉聚集在手掌中了吧？
………
如果不把……查克拉一口氣弄得像要爆炸……就根本無法弄破橡皮球……
ググ
還沒……還沒到……還要繼續下去……

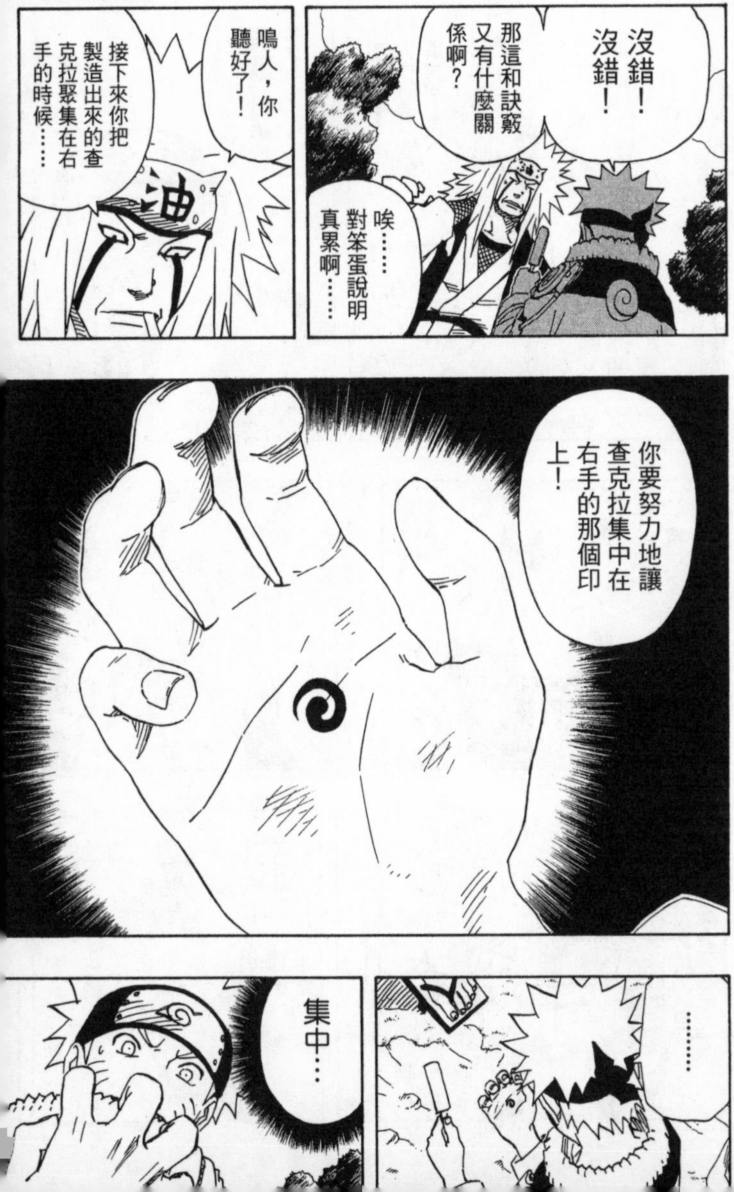
沒錯！沒錯！
那這和訣竅又有什麼關係啊？
唉……對笨蛋說明真累啊……
嗚人，你聽好了！
接下來你把製造出來的查克拉聚集在右手的時候……
你要努力地讓查克拉集中在右手的那個印上！
……
集中……

好！
我就試試看吧！
グッ
加油吧……我又要去收集情報了。
哈哈哈
什麼啊！
抓住
咻！
你這個師父難道都不想和徒弟做個心靈交流嗎？
啪！
好球——！
……
好啦！心靈交流結束！
哈哈哈！再見啦！
……
鳴人……這次的修行必須由你一個人完成……
你應該可以讓自己更接近第四代火影……靠自己的力量學會這招吧。
別管好色仙人了！我要加油！
グッ

木ノ葉病院
木ノ葉病院
※木葉醫院
佐助……

嗚啊啊啊！
嗚喔喔喔……啊……
我……我的手……
呼！呼！
大蛇丸大人！請您趕快服藥……！

呼
呼
呼
呼
呼
呼
呼
請您乖乖地服藥吧。
唉……我才剛回來，就又要打掃房間了。

哼…我可不想服用那種效果無法持久的藥…
那是由我調合的藥……
應該可以減輕您的疼痛……
嗚……
沒想到雙手這像燒燙般的疼痛……
居然會讓我感到這麼痛苦……
呼
呼
呼
ズッ
因為這是猿飛…第三代火影死去的時候…
所留下的詛咒傷痕。
別廢話了……
呼
呼
呼
嗯…話說回來……
找到了……
聽說她就在名叫短冊街的地方。
你找到……那傢伙了嗎？

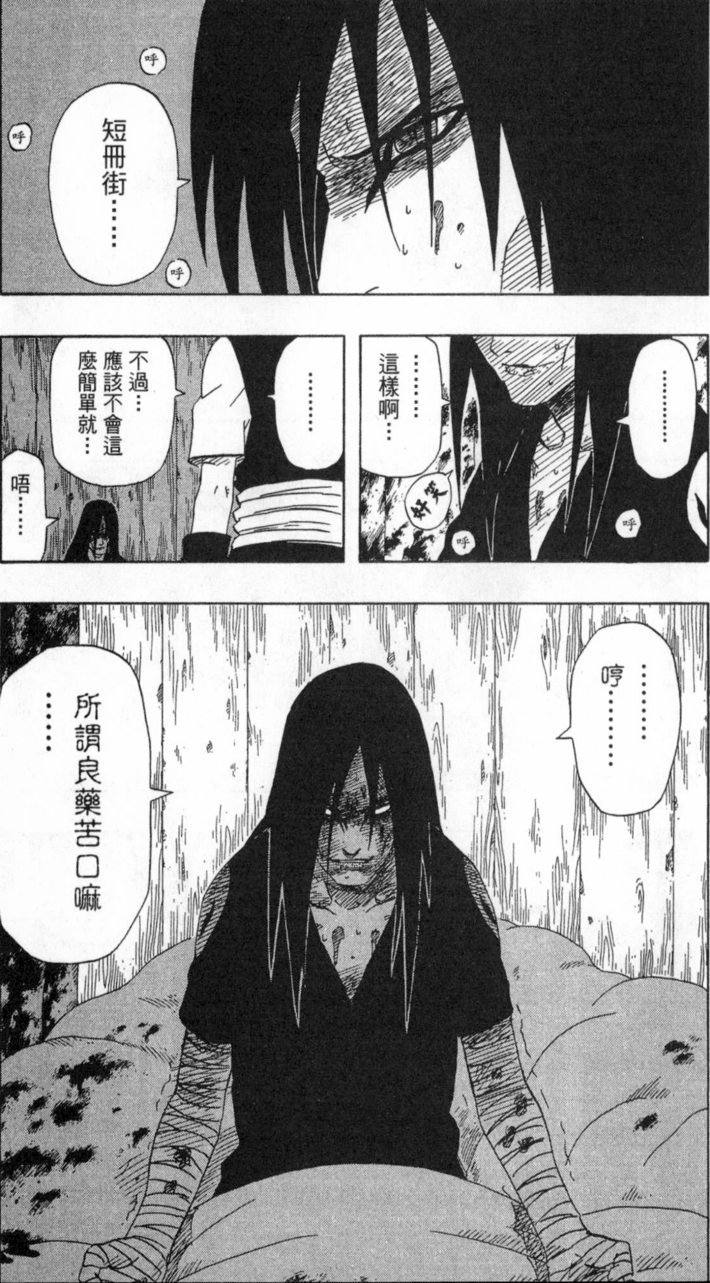
呼
短冊街……
呼
呼
……
……這樣啊…
好笑
呼
呼
……
不過…應該不會這麼簡單就…
唔……
……哼………
所謂良藥苦口嘛……

呼
呼
呼
呼
呼
不行……
起身
呼
呼
我要更加集中精神才行……
……
吸——
集中精神集中精神……
呼——……
集中精神……
——……

把查克拉
集中在這一點…
ズズズ
好球——!
油

ピク ピク
……
哇哈哈哈哈！
想到那個好色仙人的可笑表情……
根本就沒辦法集中精神嘛！
鳴人的修行過程非常的困難。
嗯～～～沒見過……
這樣啊……
我見過她……
！

但我不知道她在哪裡。
我請你喝一杯。
哼……不用了！
哇～～～
我從那個大姊身上賺了不少錢呢。
那傢伙又輸錢了……
那個傳說中的肥羊，現在還在賭博呢……
……她在哪裡？

短冊街。
喔？蠻近的嘛。
這樣……我的手就能治好了……

雖然您說那是良藥……
但她讓您嚐到的苦頭可不是蓋的……
哼……我們到短冊街去吧！
短冊街
中大獎了！真稀奇啊——
喀嚓
太棒了！
我居然會中777的大獎……
我有不好的預感……

日本集英社正式授權中文版
東立出版社有限公司
1
10
續集陸續推出中！
面對他們的危機，托雷會…
36K 80元
全省熱賣中！
BLACK CAT
矢吹健太朗
黑貓 10
矢吹健太朗
打算將托雷納爲己有的庫利得，
計劃除掉現任伙伴史恩。
藉由艾基多娜的道能力“門”，
瞬間把史恩及伊芙帶往庫利得所在之處。

日本集英社正式授權台灣中文版 東立出版社有限公司
36K 80元
好評熱賣中！
1→5 續集陸續發售中！
BLEACH 死神
RIGHT ARM OF THE GIANT
5
久保帯人
死神 5
久保帯人
黑崎一護，15歲，棕色頭髮，
黑色瞳孔，高中生。
雖然有著看得見靈魂的麻煩體質，
生活倒也還過得平安，
自從遇見那個自稱「死神」的少女·
朽木露琪亞之後，
一護的人生似乎完全都變調了…
生與死，由我決定！！
小心！死神就在你身邊！

JC08217 C0P192

火影忍者⑰

原名：NARUTO—ナルト—⑰

■作　　者　岸本斉史
■譯　　者　方郁仁
■執行編輯　陳苡平
■發 行 人　范萬楠
■發 行 所　東立出版社有限公司
■東立網址　http://www.tongli.com.tw
台北市承德路二段81號10樓
☎(02)25587277　FAX(02)25587281
■劃撥帳號　1085042-7（東立出版社有限公司）
■劃撥專線　(02)28100720
■印　　刷　嘉良印刷實業股份有限公司
■裝　　訂　台興印刷裝訂股份有限公司
■法律顧問　曾森雄律師　曲麗華律師
■2003年6月25日第1刷發行

日本集英社正式授權台灣中文版

ISBN 986-11-2153-6　定價：NT80元

TAIWAN CHINESE EDITION FOR DISTRIBUTION AND SALE IN TAIWAN ONLY
台 灣 中 文 版 ・ 僅 限 台 澎 金 馬 地 區 發 行 販 售